Mon Dieu, pourquoi ?

Abbé Pierre
avec
Frédéric Lenoir

Mon Dieu, pourquoi ?

Petites méditations sur la foi chrétienne et le sens de la vie

PLON

ISBN 2-259-20140-7

Avant-propos

L'abbé Pierre a soufflé le 5 août dernier ses quatre-vingt-treize bougies. Jeune novice capucin tout juste âgé de dix-sept ans, il avait demandé à Dieu la grâce de mourir jeune pour le voir enfin. Une voix intérieure lui a alors répondu : « Tu resteras ! » Dieu seul sait si c'est pour le punir de son impatience, ou bien pour lui permettre de devenir un grand témoin de la compassion. Récemment, il vient d'être plébiscité par les téléspectateurs de France Télévision comme l'un des trois Français les plus importants de l'histoire (après le général de Gaulle et Marie Curie). Car si le fondateur d'Emmaüs est déjà entré dans notre mémoire collective, c'est d'abord et avant tout parce qu'il est « l'insurgé de Dieu », celui qui, bien que croyant, refuse d'accepter la misère et la souffrance et consacre sa vie à rendre ce monde un peu plus humain. Mais je suis persuadé que c'est aussi parce qu'il est un homme libre. A travers maintes prises de position publiques, il dérange, agace, remet en cause, questionne. Aucun dogme, aucune institution ne trouve grâce à ses yeux. Son intelligence et son sens de l'indignation sont sans cesse en éveil. Cet esprit critique, qui n'épargne pas plus le pape que le président de la République ou les penseurs à la mode, le rend toujours audible.

J'ai rencontré l'abbé Pierre pour la première fois il y a quinze ans lors d'un long entretien pour un livre sur la résurgence des préoccupations éthiques. Il vivait alors depuis plusieurs années dans sa retraite monacale de Saint-Wandrille. Il n'a pu y rester bien longtemps. Trop happé par ses compagnons d'Emmaüs et les sollicitations des médias, il vit dorénavant dans une petite studette de la banlieue parisienne, près du siège d'Emmaüs.

Dès cette première rencontre s'est nouée entre nous une véritable connivence intellectuelle.

Nous nous sommes revus régulièrement. De génération et d'expériences très différentes, nous aimons parler philosophie et religion, sans autre but que de chercher la vérité et de confronter nos points de vue. Comme j'avais fait une thèse de doctorat sur le bouddhisme, il m'a souvent interrogé sur cette sagesse qui le passionne, d'autant plus qu'il a eu plusieurs fois des échanges amicaux et stimulants avec le Dalaï-Lama. Nous avons aussi été parfois en total désaccord, comme lors de l'affaire Garaudy, mais jamais ces divergences n'ont entamé l'amitié.

Parfois, ces échanges ont pris une tournure plus professionnelle. Par deux fois j'ai aidé l'abbé Pierre à écrire des livres : ses mémoires (*Mémoire d'un croyant*, Fayard, 1997) et un petit ouvrage sur la *Fraternité* (Fayard, 1999). Il y a bientôt dix-huit mois, le fondateur d'Emmaüs m'a demandé de venir le voir plus assidûment pour échanger sur des questions théologiques qui le tourmentaient particulièrement. Il venait de découvrir que Jean-Paul II avait reconnu dans un document officiel la validité de la théorie de l'Évolution, et cette petite révolution avait stimulé son désir de reprendre sa réflexion de toujours sur le péché originel, le mal et le sens de l'aventure humaine. Je me suis rendu compte que, malgré sa mauvaise santé et des grands moments de coups de pompe, l'abbé Pierre était dans une véritable effervescence intellectuelle. De nombreuses questions essentielles le hantaient au soir de sa vie. Je le poussais dans ses retranchements et lui proposais de noter le fruit de ces discussions. Au fil de ces échanges, qui se sont déroulés pendant un an à un rythme quasi hebdomadaire, un véritable petit livre est né. J'ai éliminé mes propres questions et points de vue pour ne garder que ceux de l'abbé Pierre.

Ainsi conçu, ce petit ouvrage n'est ni un traité, ni un témoignage, mais se présente comme une suite de brèves méditations sur la foi chrétienne et le sens de la vie humaine. Il aborde aussi bien des points fondamentaux de la doctrine chrétienne que des sujets intimes et d'une brûlante actualité, comme la sexualité et le mariage des prêtres, la place des femmes dans l'Église, l'homoparentalité ou l'élection du nouveau pape.

Aux antipodes de toute langue de bois, ces réflexions constituent, je crois, l'essentiel des préoccupations spirituelles et théologiques actuelles du fondateur d'Emmaüs. Des préoccupations qui sont autant, sinon plus, constituées d'interrogations que de certitudes.

Frédéric LENOIR.

Prologue

Pourquoi tant de souffrance ?

Je ne suis pas guéri et ne le serai jamais de tout ce lot de souffrances qui accable l'humanité depuis l'origine. J'ai appris récemment qu'environ quatre-vingts milliards d'êtres humains auraient vécu sur terre. Combien ont eu une existence douloureuse, ont peiné, souffert… et pour quoi ? Oui, mon Dieu, pour quoi ?

Mon Dieu jusqu'à quand va durer cette tragédie ? On nous dit dans les catéchismes de toutes les religions que la vie a un sens. Mais combien d'hommes et de femmes, sur ces dizaines de milliards, ont pu découvrir ce sens ? Combien ont pu accéder à la conscience d'une vie spirituelle, d'une espérance ? Combien d'autres au contraire n'ont-ils vécu presque comme des bêtes, dans la peur, le besoin de survivre, la précarité, la douleur de la maladie ? Combien ont eu la chance de méditer sur le sens de l'existence ?

J'ai quatre-vingt-treize ans, et ma foi, qui me tient au corps depuis plus de quatre-vingts ans, se fait de plus en plus interrogation. Mon Dieu pourquoi ? Pourquoi le monde ? Pourquoi la vie ? Pourquoi l'existence humaine ?

1

Pour quoi vivre ?

On me demande souvent : quel est le but de la vie ?

Malgré toute cette absurdité, j'ai pourtant une certitude qui me tient au corps depuis ma rencontre de Dieu dans l'adoration, alors que j'étais jeune moine capucin. Alors, en tremblant, l'intelligence scandalisée, mais avec la conviction du cœur et de la foi, je réponds : le but c'est d'apprendre à aimer.

Aimer, c'est quand toi, l'autre, tu es heureux, alors je suis heureux aussi. Et quand toi, l'autre, tu es malheureux, tu souffres, alors j'ai mal aussi.

C'est aussi simple que cela. Alors je dis : la vie, c'est un peu de temps donné à des libertés, pour, si tu veux, apprendre à aimer, avec la certitude de devoir lutter contre le mal.

Sens de la création : que l'amour réponde à l'amour. S'il n'y avait pas ce point culminant où tout d'un coup deux libertés peuvent se donner et s'aimer, toute la création serait absurde.

2

Amour et bonheur

Je me suis rendu compte au fil du temps qu'il est important de bien distinguer le bonheur de l'amour.

Même si la joie qui accompagne l'amour est incomparable à toutes les autres et produit le plus grand des bonheurs, elle est fragile et n'empêche pas les souffrances. Aimer n'empêche donc pas de souffrir. Comme la Vierge Marie le disait à Bernadette de Lourdes, « en cette vie je te promets de t'apprendre à aimer mais pas nécessairement d'être heureuse tout le temps ».

Naturellement tous les humains recherchent le bonheur. Mais vivre une vie chrétienne authentique ce n'est pas rechercher le bonheur à tout prix. C'est rechercher à aimer, quel qu'en soit le prix à payer.

En disant cela, j'ai bien conscience aussi d'une dérive qu'il convient d'éviter et dans laquelle bien des chrétiens très pieux sont tombés : celle du dolorisme. Contrairement à ce qu'on nous a toujours enseigné, le mérite n'a aucun rapport avec la difficulté. Le mérite se mesure à l'amour avec lequel un acte est posé et non à ce qu'il coûte (dolorisme).

Le dolorisme est une abomination et une caricature de la vie chrétienne qui consiste à rechercher la souffrance, ou à s'y complaire, sous prétexte que Jésus a souffert. Non. Il faut simplement accepter la vie comme elle se présente, et si on ne peut pas éviter une souffrance, alors mieux vaut l'accepter avec amour que se révolter ou la fuir en se refermant sur soi.

3

Face à la souffrance Bouddha et Jésus

Je suis hélas d'accord avec le constat fondamental que fait le Bouddha : tout est souffrance.

Fondamentalement la condition humaine est souffrance : on souffre physiquement, psychiquement, moralement. On souffre de ne pas posséder certaines choses, puis on souffre de les perdre ou de le craindre. Oui, la souffrance est notre lot à tous.

Mais en tant que chrétien je n'en tirerai pas les mêmes conclusions que le Bouddha. Pour lui, et d'après ce que j'en ai compris tant par des lectures que par mes discussions avec mon ami le Dalaï-Lama, il faut tout faire pour ne plus souffrir. Le but de la vie devient alors une ascèse et une éthique de vie exigeante qui vise à supprimer la cause fondamentale de toute souffrance : le désir.

Pour le disciple de Jésus, la voie est tout autre : il ne s'agit pas d'éliminer la souffrance de sa vie jusqu'à éradiquer tout désir, mais de réagir face à elle par le partage et l'offrande. Si face à sa propre souffrance ou à la souffrance d'autrui on entre dans une communion avec les autres, alors la lumière apparaît.

Combien de fois ai-je vécu cette expérience bouleversante auprès d'un grand malade, d'un homme désespéré. Le seul fait d'être en communion véritable avec lui apporte une lumière qui sublime cette souffrance. La souffrance peut donc être vécue comme un tremplin vers le partage. C'est toujours un mal et elle ne doit jamais être recherchée ou magnifiée. Mais ce mal peut conduire à des sommets d'humanité.

J'ai appris récemment qu'un psychologue très réputé, Boris Cyrulnik, expliquait cela à propos du développement psychologique de l'individu, montrant que certaines failles et blessures profondes de l'enfance pouvaient permettre une croissance de l'être et donc être considérés comme « un merveilleux malheur », selon le titre de l'un de ses ouvrages. C'est tout à fait ce que je crois pour la vie en général : toute souffrance surmontée est l'occasion d'une croissance d'être, d'un progrès dans la conscience.

4

Désirer

Le bouddhisme m'a fait méditer plus profondément sur la question du désir.

Aller vers la suppression du désir, c'est d'une certaine manière réduire la vie, la limiter. Je ne crois pas, comme le Bouddha, que le désir soit en soi un obstacle au progrès spirituel. Je crois qu'il faut savoir orienter ses désirs.

Se laisser posséder par eux peut en effet être très néfaste. Mais être maître de soi et orienter librement son désir vers ce qui nous fait grandir, vers ce qui est beau, bon, ce qui est noble, fait partie de la croissance spirituelle.

Je crois d'ailleurs que rien ne peut nous satisfaire pleinement sur terre car notre esprit, créé par Dieu, cherche Dieu. Le sachant ou non, nous courons après toutes sortes de satisfactions qui ne seront toujours que partielles car la satisfaction plénière ne pourra venir que dans la rencontre avec l'Éternel. C'est ce qui fonde l'espérance chrétienne. Certes on peut vivre sur terre des moments de plénitude : dans la communion avec Dieu ou avec les autres. Mais ce ne sont que des moments qui laisseront vite la place à d'autres moments où la communion sera moins forte, où on ressentira de l'insatisfaction.

5

Désir sexuel et chasteté

Quand nous parlons du désir, nous pensons tous au désir sexuel qui est l'un des plus puissants instincts de la vie. Vécu n'importe comment il peut créer des désastres. Mais bien orienté, c'est-à-dire vécu dans une relation et un partage authentiques, il est très positif.

A titre personnel, j'ai fait très jeune le choix de la vie consacrée à Dieu et aux autres, et j'ai donc fait vœu de chasteté. D'une certaine manière j'ai eu la vie d'un captif. Lorsqu'on sait que quelque chose de désirable est irréalisable – puisque ma vie de moine, ensuite totalement absorbée par l'aide aux plus démunis, ne pouvait permettre une relation amoureuse –, il faut l'écarter. Ne pas laisser le désir prendre racine. Je parlerai de servitude consentie.

Cela n'enlève en rien la force du désir, et il m'est arrivé d'y céder de manière passagère. Mais je n'ai jamais eu de liaison régulière car je n'ai pas laissé le désir sexuel prendre racine. Cela m'aurait conduit à vivre une relation durable avec une femme, ce qui était contraire à mon choix de vie. J'ai donc connu l'expérience du désir sexuel et de sa très rare satisfaction, mais cette satisfaction fut une vraie source d'insatisfaction car je sentais que je n'étais pas vrai.

J'ai senti que pour être pleinement satisfait le désir sexuel a besoin de s'exprimer dans une relation amoureuse, tendre, confiante. Or une telle relation m'était fermée par mon choix de vie. Je ne pouvais dès lors que rendre des femmes malheureuses et être moi-même tiraillé entre deux choix de vie inconciliables.

6

Célibat et mariage des prêtres

La simplicité ne peut exister que dans le vrai. Il faut refuser l'hypocrisie qui existe trop souvent. Il peut arriver à tout le monde de céder à la tentation charnelle, qui est une force vitale extrêmement puissante, mais c'est autre chose pour un prêtre ou un moine de ne pas arriver à faire de choix et de mener une double vie qui peut conduire, dans certains cas, à faire souffrir des femmes pendant des décennies.

En même temps, il faut se garder de tout jugement et de toute généralisation. Je connais des prêtres qui vivent en concubinage avec une femme qu'ils aiment depuis des années et qui acceptent bien cette situation. Ils continuent d'être de bons prêtres. Cela pose la question cruciale pour l'Église du mariage des prêtres et de l'ordination d'hommes mariés.

En ce qui me concerne, si j'avais été marié ou engagé dans une relation affective particulière, je n'aurais jamais pu faire ce que j'ai fait. Ma vocation réclamait une disponibilité totale. Je suis d'ailleurs convaincu qu'il est nécessaire qu'existe dans l'Église des prêtres mariés, et des prêtres célibataires qui puissent se consacrer totalement à la prière et aux autres.

Jésus a choisi des apôtres mariés – comme Pierre – et des apôtres célibataires qui le sont sans doute restés – comme Jean. L'Église a maintenu cette double vocation pendant des siècles avant d'imposer le célibat aux prêtres, comme cela était déjà le cas pour les évêques. Aujourd'hui on ordonne des hommes mariés non seulement dans l'Église orthodoxe, mais aussi dans l'Église catholique, chez les maronites ou les coptes, qui ont le choix du mariage ou du célibat.

Puisque l'Église catholique permet depuis des siècles à ces communautés orientales d'ordonner des prêtres mariés, je vois mal pour quelle raison Jean-Paul II a pu affirmer récemment qu'il était hors de question de revenir sur le célibat des prêtres pour le reste de l'Église catholique.

Cela ne tient pas. Non seulement cela permettrait sans doute de résoudre en partie la crise des vocations et de la pénurie des prêtres, mais je suis aussi certain qu'il y aurait toujours autant de vocations au célibat.

7

La mort de Jean-Paul II…

Même si j'étais parfois en désaccord avec lui, comme beaucoup, j'ai été touché par l'agonie du pape. Je n'ai pas été choqué par le fait que cette agonie soit montrée ou qu'il ait refusé de démissionner. Au contraire, je trouve que Jean-Paul II a fait preuve d'un grand courage dans la souffrance. J'étais ému de voir combien il se faisait violence pour aller donner sa bénédiction sans pouvoir parler. Contrairement à ce que certains ont pu dire ou penser, on sait qu'il est resté jusqu'au bout d'une extrême lucidité.

Je ne dirai pas maintenant, contrairement à de nombreux catholiques et même non-catholiques, que sa mort m'ait attristé. Sans doute parce que j'ai toujours cru en une vie nouvelle en Dieu après la mort, je n'ai jamais ressenti de véritable tristesse lors de la mort de mes proches, y compris celle de mes parents ou de Mlle Coutaz qui a été mon assistante pendant trente-huit ans sans jamais aucun trouble entre nous.

Enfant, à l'occasion d'un décès, s'est imposée à moi une image curieuse : je voyais l'intérieur de la grosse armoire du salon, avec les draps bien rangés et pliés à l'intérieur. Tout est en ordre. La mort c'est dans l'ordre des choses. Hormis face aux décès épouvantables qui se font dans d'atroces souffrances – ce qui me scandalise, c'est la souffrance et non la mort –, je ressens toujours une grande sérénité face à la mort.

C'est donc ce que j'ai ressenti au décès de Jean-Paul II. Ce fut un grand pape qui a accompli une œuvre immense. Même, encore une fois, si je ne partageais pas toutes ses prises de position, sur des questions notamment comme celle du préservatif, condamnation particulièrement grave pour la réalité africaine, j'avais une réelle admiration pour son humanisme, sa foi, son total dévouement à l'Église.

8

… et l'élection de Benoît XVI

Après le décès de Jean-Paul II, on s'est évidemment intéressé à son successeur, et les observateurs n'avaient qu'une crainte : l'élection du cardinal Joseph Ratzinger, le redoutable préfet de la congrégation pour la doctrine de la foi, l'ex-« Saint-Office ».

Je crois avoir été parmi les premiers à faire cette remarque de bon sens : partout dans la société on peut observer qu'une personne promue à une plus grande responsabilité n'est plus la même. Parfois elle devient plus tyrannique, mais le plus souvent elle s'améliore, se détend, s'assouplit. Une fois le sommet atteint, elle devient plus tolérante, plus magnanime, plus ouverte.

C'est, je crois, ce qui va se passer avec le cardinal Ratzinger, devenu Benoît XVI. Dès que j'ai vu son regard le soir de l'élection, je l'ai trouvé heureux, serein. Ses premières paroles de pape ont été dans le sens du dialogue et de l'ouverture avec les autres confessions chrétiennes (les protestants, les anglicans et les orthodoxes) et les autres religions. Attendons de voir les actes, mais le ton a déjà changé.

Je n'ai pas du tout été surpris par son élection, malgré son âge (soixante-dix-huit ans) qui ne plaidait pas en sa faveur. Rappelons que très peu de cardinaux se connaissaient. Tous, par contre, connaissaient bien le cardinal Ratzinger. Et puis, la préoccupation dominante des cardinaux était la sécurité : pas de vagues, pas d'aventures. En élisant Joseph Ratzinger, ils assuraient une continuité avec le pontificat de Jean-Paul II tout en sachant, compte tenu de son âge, qu'il ne régnerait pas trop longtemps. Cela leur permettra de mieux se connaître et de réfléchir sereinement au meilleur candidat possible pour le prochain pontificat. C'est vraiment là que nous verrons quelle orientation majeure est prise.

Je ne serais pas étonné qu'au cours de son pontificat Benoît XVI prenne deux mesures jugées libérales : permettre aux divorcés remariés de communier, et ordonner prêtre des « anciens », des hommes mariés qui ont déjà élevé leurs enfants, les fameux « presbytes » dont parle saint Paul. En revanche, il ne changera certainement pas sa position sur la question de l'accès des femmes aux ministères ordonnés ou sur sa condamnation de l'homosexualité.

9

Mariage des homosexuels et homoparentalité

Un grand débat agite nos sociétés depuis plusieurs années autour de la question du mariage des homosexuels et de l'adoption des enfants par des couples homosexuels. Ces questions sont importantes et il faut prendre du temps avant de légiférer.

Je comprends le désir sincère de nombreux couples homosexuels, qui ont souvent vécu leur amour dans l'exclusion et la clandestinité, de faire reconnaître celui-ci par la société. Jusqu'à son décès, j'ai eu comme secrétaire le père Péretti qui ne faisait pas mystère de son homosexualité et qui est l'un des fondateurs d'une association chrétienne pour la reconnaissance de l'homosexualité :

David et Jonathan. J'ai récemment rencontré les membres de cette association. Je leur ai dit que le mot « mariage » était trop profondément enraciné dans la conscience collective comme l'union d'un homme et d'une femme pour qu'on puisse comme cela, du jour au lendemain, utiliser le même mot pour un couple de même sexe. Cela créerait un traumatisme et une déstabilisation sociale forte. Pourquoi ne pas utiliser le mot d'« alliance », tout aussi beau et moins étroitement marqué dans l'usage social ?

La question de l'adoption d'enfants est d'une grande complexité ; on ne peut la traiter légèrement. Elle relève, entre autres, et de mon point de vue peut-être surtout, d'un discernement psychologique. Prenons le temps d'écouter les psychologues et de voir dans la durée, là où l'expérience a été menée, si véritablement le fait de ne pas avoir des parents de sexes différents ne porte pas un préjudice psychologique ou social à l'enfant. Ce serait à mes yeux la meilleure des raisons qui pourrait interdire l'homoparentalité. Car pour le reste, on sait tous qu'un modèle parental classique n'est pas nécessairement gage de bonheur et d'équilibre pour l'enfant. Il faudrait s'assurer que cette particularité ne constitue pas un handicap insurmontable, ou trop lourd à porter pour l'enfant.

10

Faut-il ordonner des femmes prêtres ?

Autre sujet actuel de société sans cesse ressurgissant et autre chantier crucial pour l'Église du XXIe siècle : celui de la place des femmes dans le catholicisme. En tant que préfet pour la congrégation de la doctrine de la foi, le cardinal Ratzinger avait fermé la porte à toute évolution vers un accès des femmes aux ministères ordonnés. Sauf sur la question de l'ordination des hommes mariés, on peut douter que le pape Benoît XVI fasse un virage à 180 degrés sur ces questions. Même si, encore une fois, accéder aux suprêmes responsabilités peut changer un homme, le libérer, réorienter son regard vers un horizon plus large et plus lointain.

Je n'ai jamais compris pourquoi Jean-Paul II et le cardinal Ratzinger avaient affirmé que jamais l'Église n'ordonnerait des femmes. Une telle affirmation suppose que cette pratique serait non conforme à la substance même de la foi chrétienne. Or ceux qui prennent de telles positions, quelles que soient leurs éminentes fonctions, n'ont jamais avancé un seul argument théologique décisif qui démontre que l'accès des femmes au sacerdoce serait contraire à la foi.

Le principal argument avancé, c'est que Jésus n'a choisi aucune femme parmi ses apôtres, alors même qu'il était entouré de nombreuses femmes. Pour moi cet argument n'a rien de théologique mais relève davantage de la sociologie. Dans les coutumes de l'époque, en effet, que ce soit chez les Juifs, les Grecs ou les Romains, les femmes n'exercent aucune fonction officielle. Or ces coutumes, on le sait bien, relèvent d'une mentalité machiste liée à la domination du modèle patriarcal. L'homme est considéré comme supérieur à la femme, plus rationnel et seul capable de gouverner ou d'enseigner.

Dans un tel contexte on voit mal Jésus, aussi libre soit-il, aller à contre-courant d'une coutume qui imprégnait tous les peuples du Bassin méditerranéen. Cela aurait créé beaucoup trop d'incompréhension. Mais on voit mal pourquoi aujourd'hui, alors que les mentalités ont profondément évolué sur cette question, l'Église devrait rester fidèle à ce préjugé.

Qui peut en effet encore soutenir que la femme est inférieure à l'homme ou bien incapable d'enseigner et de gouverner ? Nous avons connu au cours des dernières décennies une véritable révolution culturelle qui a permis a de nombreuses femmes d'accéder avec bonheur aux plus hautes responsabilités : que l'on songe seulement à Indira Gandhi en Inde, Margaret Thatcher en Grande-Bretagne ou Benazir Bhuto au Pakistan. Quant à l'enseignement théologique, les facultés protestantes ont montré depuis longtemps qu'elles possédaient d'excellentes théologiennes laïques ou membres de la hiérarchie.

En disant cela, je ne nie nullement qu'il puisse exister des différences ontologiques entre l'homme et la femme. Je crois en effet que la femme est généralement plus portée à la compassion, plus intuitive, plus affective, et l'homme davantage logique, organisateur. Mais cela n'est pas systématique, et, de même qu'il existe des hommes très intuitifs et compassionnels, il existe des femmes très rationnelles et qui ont de remarquables capacités d'organisation. On voit mal pourquoi refuser à ces femmes qui s'en sentent la vocation et les capacités l'accès aux ministères ordonnés ?

Reste un ultime argument pour les défenseurs du sacerdoce uniquement masculin : Jésus était un homme, et puisque le prêtre agit *in persona christi*, il ne peut qu'être du même sexe que le Christ. Cet argument me semble être du même ordre que le précédent. Le Christ, en tant que seconde personne de la Trinité, n'a ni sexe masculin ni sexe féminin. Jésus, en tant qu'incarnation de cette personne divine, ne pouvait avoir qu'un seul sexe. Compte tenu, encore une fois, des mentalités de l'époque, on voit mal comment une femme aurait pu être crédible et susciter l'adhésion d'une foule de disciples (y compris des femmes) imprégnés de préjugés antiféminins. Il m'apparaît donc évident que le choix du sexe de Jésus est contingent et ne ressort d'aucune nécessité théologique.

Ainsi, la question de l'ordination des femmes me paraît seulement un problème d'évolution des mentalités. Il est très probable, et pour moi souhaitable, que l'Église évolue sur ce point dans les décennies à venir.

11

Marie Madeleine

Lorsque l'on évoque cette question de la place des femmes dans l'Église, on pense inévitablement à la place si particulière que tient Marie de Magdala dans les Évangiles.

Avant mon entrée au noviciat, alors que j'étais à peine âgé de dix-sept ans, j'ai fait une courte retraite de trois jours dans un monastère près de Grenoble. C'est alors que j'ai découvert un passage extrêmement fort et bref des Évangiles qui est resté gravé en moi. Il s'agit de la rencontre de Jésus et de Marie de Magdala après la crucifixion.

Dans son Évangile, Jean nous dit que le surlendemain de l'abominable supplice de Jésus, à l'aube, Marie de Magdala, accompagnée de quelques autres femmes, se rend au tombeau pour y embaumer le corps du Christ. La pierre est roulée, le tombeau est vide. Pour Marie, c'est atroce : qui a pris le corps de son bien-aimé ? Elle ne songe pas un instant à la Résurrection. Elle cherche désespérément un cadavre pour le voir et le toucher une dernière fois. C'est alors qu'apparaît dans le jardin un homme qu'elle voit mal, tant elle est obsédée par la recherche du cadavre, et qu'elle prend pour le jardinier. Jésus ressuscité lui dit : « Femme pourquoi pleures-tu ? Qui cherches-tu ? » Marie lui répond : « Si c'est toi qui l'as enlevé, dis-moi où tu l'as déposé, que j'aille le prendre. »

Jésus a alors cette simple parole : « Marie. » En entendant son nom, Marie le reconnaît, ses oreilles, ses yeux et son cœur s'ouvrent enfin au mystère de la personne du Christ ressuscité. Elle se jette vers Jésus avec ce cri du cœur bouleversant : « Rabouni. » Ce mot hébreu pourrait se traduire par « maître chéri ». Les disciples les plus proches appellent souvent leur maître par un petit nom qui marque à la fois le respect et une profonde affection. Je me souviens qu'en

Inde les disciples de Gandhi l'appelaient « Gandhidji ».

Ces deux paroles qui se suivent, « Marie » et « Rabouni » m'ont bouleversé et continuent de me bouleverser près de quatre-vingts ans plus tard.

Elles contiennent, à elles seules, tout le mystère de l'Incarnation et de la Rédemption, tout le mystère du Christ. Elles disent l'amour fou de Dieu pour l'humanité. Dieu qui appelle chacun d'entre nous avec une infinie tendresse par son nom : « Marie. » Et l'humanité qui, lorsqu'elle reconnaît cet amour de Dieu, se jette vers lui dans un désir fou : « Rabouni. »

Je suis profondément remué chaque fois que je relis ces deux mots. J'entends au fond de moi « Henri » (qui est mon prénom de baptême), et je sens le regard plein d'amour de Jésus qui se pose sur moi.

Il y a sur les quais de Seine à Paris un marchand de matériaux qui s'appelle « Raboni ». Chaque fois que je passe devant ses grandes enseignes, je ne peux m'empêcher d'avoir un tressaillement en pensant à la parole de Marie. Je m'associe à cette joie immense de celle qui reconnaît son bien-aimé. Cela me fait venir les larmes aux yeux et au cœur.

12

Jésus avait-il une relation charnelle avec Marie Madeleine ?

Le succès planétaire du roman *Da Vinci Code* a remis à la mode la thèse du mariage de Jésus et de Marie Madeleine. A ce qu'on m'a dit, cette thèse scandaliserait de nombreux chrétiens et en troublerait d'autres. J'avoue à titre personnel qu'une telle hypothèse – qui ne repose sur rien de concret, mais qu'on est en droit de formuler – ne trouble nullement ma foi. Ma foi se nourrit de la prière et des Évangiles, et rien ne m'incite à croire que Jésus ait été marié ou ait entretenu une relation charnelle avec une femme.

Cela étant, je ne vois aucun argument théologique majeur qui interdirait à Jésus, le Verbe incarné, de connaître une expérience sexuelle. Je suis même convaincu que, ayant voulu épouser pleinement la nature humaine, il a vécu l'expérience du désir sexuel que connaît tout homme. A-t-il voulu satisfaire ce désir ? Si oui, il l'a nécessairement vécu dans un amour partagé, et Marie de Magdala semble avoir été la femme la plus proche de lui hormis sa mère. Mais il a très bien pu aussi ne pas satisfaire ce désir, ce qui ne l'a pas empêché d'être pleinement homme.

Autrement dit, je m'élève contre ceux qui affirment qu'il est impossible que Jésus ait eu des relations sexuelles au nom de sa divinité. Mais je m'élève tout autant contre ceux qui affirment qu'il a nécessairement eu un rapport charnel avec une femme de par son humanité. Il me semble que Dieu incarné peut connaître le plaisir charnel, comme en éprouver le désir, sans y céder. Et, dans les deux cas de figure, je crois que cela ne change rien à l'essentiel de la foi chrétienne.

13

Marie : mère de Jésus ou nouvelle idole ?

Qu'en est-il du principal personnage féminin des Évangiles : la mère de Jésus ?

Je suis impressionné par l'accumulation récente des dogmes concernant Marie, la mère de Jésus, car on peut se demander pourquoi ? L'Église a certainement le souci de répondre à la dévotion populaire et de faire surgir l'unique et l'indicible de cette femme. Mais cela comprend deux écueils.

Celui d'abord de la déshumaniser. Contrairement à son Fils qui assumait en sa personne une double nature, humaine et divine, Marie possède seulement la nature humaine. Elle est une femme semblable à toutes les femmes de la terre par sa nature, mais elle a été choisie par Dieu pour accueillir en son sein le Verbe incarné. Cela en fait une femme unique, mais ne doit pas l'éloigner de nous, la faisant échapper au lot commun de tentations et de faiblesses de l'humanité. L'Immaculée Conception, promulguée en 1854, signifie que Marie ne porte pas les traces du péché originel. Autrement dit, elle a un statut unique dans l'humanité dès sa conception. Elle n'est pas semblable aux autres êtres humains – même les plus grands saints – qui eux portent dans leur chair la trace du péché originel. J'expliquerai que je suis peu enclin à croire tel quel au péché originel. Mais même si le péché originel avait vraiment existé et qu'il se transmettait par la chair de génération en génération depuis Adam et Ève, je ne vois pas pourquoi Marie, qui est pleinement humaine, aurait eu ce privilège d'y échapper et en quoi cela aurait été nécessaire au mystère de l'Incarnation. Je vois plutôt dans cette croyance une manière de nous éloigner de Marie.

N'en va-t-il pas de même pour le dogme de l'assomption de Marie, promulgué en 1950 ? Selon ce dogme, le corps de Marie n'aurait pas connu la corruption mais serait monté au ciel, aurait été transfiguré en quelque sorte. N'est-ce pas encore une manière d'enlever à Marie sa pleine humanité ? D'en faire une quasi-divinité incorruptible ?

Sachons nous garder du danger de cette montée en puissance de la mariologie. Les premiers chrétiens ont lutté de toutes leurs forces contre le paganisme et l'idolâtrie pour affirmer, à la suite de Jésus, qu'on n'adorait que Dieu. L'adoration n'est vivable et n'est vraie que si elle se porte vers l'infini. L'attribuer à la Vierge ou aux saints n'est pas digne d'un chrétien.

J'ai une immense tendresse pour Marie la mère de Jésus. Je récite tous les jours ses paroles du *Magnificat*. Je l'associe souvent dans mes prières adressées à Dieu. Mais je ne peux concevoir qu'on lui voue un véritable culte, lequel finit chez certains par prendre plus de place que l'adoration envers le Créateur. Cela devient alors de l'idolâtrie. Marie prendrait-elle la place des déesses de l'Antiquité contre lesquelles le christianisme primitif a lutté pour apporter au monde entier la Révélation de Dieu Un et Indivisible, à qui seul il est légitime de vouer un culte ?

14

Comment mieux penser le péché originel face à la science ?

Cette question de l'Immaculée Conception renvoie à celle, fondamentale dans la théologie chrétienne, du péché originel.

On nous a appris au catéchisme à lire la Genèse comme un récit historique : Adam et Ève seraient les premiers humains, nos parents. Par leur faute, la nature humaine serait depuis lors corrompue : tous les vices et les maux de l'humanité découleraient de ce péché originel.

Beaucoup de théologiens n'hésitent pas à citer un texte de Saint Augustin relatif aux abus de la lecture littérale de la Genèse (traité *De genesi ad litteram* – an 390).

Voici le texte : « Il est une chose plus honteuse, chose pernicieuse et extrêmement redoutable, c'est qu'un non-fidèle puisse entendre un chrétien parler comme de choses parlant des Saintes Écritures, alors qu'il annonce des folies au point que l'infidèle a peine à se retenir de rire. Et lorsqu'il a entendu dire que cela serait tiré des Saintes Écritures, comment pourrait-il se fier aux Saintes Écritures en ce qui touche la résurrection des morts, l'espoir de la vie éternelle et le royaume des cieux ? »

Ce qu'évoque ici Saint Augustin est encore d'actualité près de mille ans après lui, à propos des origines de l'Homme et du délicat sujet du péché originel.

Le père Loewe, plongé dans l'évangélisation du monde ouvrier, écrit dans son journal *La mission ouvrière* : « Les premiers chapitres de la Genèse par lesquels tant de catéchismes débutaient, étaient pour nos enfants et leurs parents une vraie catastrophe. » En effet, qui de nos jours ignorerait les origines de l'Homme ? Ceci est dans le programme de l'enseignement primaire élémentaire. Il est évident de nos jours que ces textes de la Genèse sont à considérer comme la manifestation de la relation de l'Homme à Dieu et non comme un manuel d'histoire.

J'ai été frappé de découvrir récemment que le pape Jean-Paul II avait lui-même solennellement reconnu le bien-fondé de la théorie darwinienne de l'évolution. Dans un document passé inaperçu, Jean-Paul II a pris une position très claire devant l'Académie pontificale des sciences, le 22 octobre 1996. Après avoir rappelé que, dans son encyclique (1950), Pie XII considérait la doctrine de l'évolutionnisme comme une hypothèse sérieuse, il affirme : « Aujourd'hui, près d'un demi-siècle après la parution de l'encyclique, de nouvelles connaissances conduisent à reconnaître dans la théorie de l'évolution plus qu'une hypothèse. Il est en effet remarquable que cette théorie se soit progressivement imposée à l'esprit des chercheurs à la suite d'une série de découvertes faites dans diverses disciplines du savoir. La convergence, nullement recherchée ou provoquée, des résultats de travaux menés indépendamment les uns des autres constitue par elle-même un argument significatif en faveur de cette théorie. »

Jean-Paul II rappelle ensuite à juste titre que l'interprétation philosophique de ces résultats scientifiques peut fortement varier. Dans une perspective matérialiste, on déduira que l'esprit émerge de la matière vivante comme un simple épiphénomène de cette matière. Dans un regard spiritualiste, on insistera au contraire sur le « saut ontologique » que constitue l'apparition de la conscience humaine et de la capacité de symbolisation qui est le propre de l'homme (conscience de sa mortalité, art, religion...).

En fait, l'Église accepte le fait que l'être humain apparaisse au terme d'un long processus matériel et biologique, dans la continuité des autres vivants qui le précèdent. La seule chose sur laquelle elle maintient une position très ferme, c'est le caractère unique de l'être humain « créé à l'image et à la ressemblance de Dieu ». Le concile Vatican II rappelait ainsi que l'homme est « la seule créature sur terre que Dieu ait voulue pour elle-même » (*Gaudium et Spes*, 24). Contrairement à tous les autres vivants, l'homme seul est considéré comme une fin en soi, il est une personne. Par son esprit il est capable de vivre le don de soi et de rentrer en communion avec Dieu. Ainsi, pour l'Église, est-il donc capital de maintenir que si le corps de l'homme est issu de la matière vivante qui lui préexiste, son âme spirituelle est créée directement par Dieu. Les chrétiens insistent donc sur le saut ontologique que constitue l'apparition de l'être humain en tant que tel dans la longue chaîne de l'évolution, et pointeront les signes caractéristiques de cette nouvelle espèce : conscience de soi, réflexivité, conscience morale, liberté, expérience éthique ou religieuse..., autant de traits qui n'appartiennent qu'à l'homme et qui relèveraient, selon la foi chrétienne, du fait qu'il possède une âme spirituelle créée par Dieu.

Le tout nouveau *Catéchisme de l'Église catholique* (avec son utile abrégé) a évidemment, en plusieurs passages, abordé la question du péché originel. Mais quiconque s'interroge sur cette question, regrettera qu'une présentation plus importante n'ait pas été apportée dans ce catéchisme dont la diffusion sera considérable.

Enfin, comment tairais-je le rêve que j'ai fait presque depuis l'enfance : substituer aux mots inadaptés et inconvenants « péché originel » les mots « blessure » (à laquelle nous ne sommes pour rien, mot sauvant notre innocence), les mots plus vrais : « blessure héréditaire » ?

15

Le génie de Teilhard de Chardin

En parlant de cette question si importante du péché originel et de l'évolutionnisme, je voudrais rendre hommage à un homme, à la fois savant (paléontologue) et religieux (jésuite), qui a joué au cours du XXe siècle un rôle déterminant pour réconcilier la vision chrétienne avec la théorie scientifique de l'évolution. Cet homme s'appelle Pierre Teilhard de Chardin.

Il fut un ami cher. J'ai entendu parler de lui la première fois vers l'âge de quinze ans, alors qu'il rentrait d'un long séjour en Chine. Ensuite, juste après mon évasion à Alger, un ami m'a remis un cahier photocopié de son livre, *Le Milieu divin*. Son œuvre, dès lors, ne m'a plus quitté. Je viens de la relire quasiment dans son intégralité, et je suis toujours pétri d'admiration pour ce mélange de science, de foi et de mysticisme.

Je l'ai rencontré pour la dernière fois peu avant sa mort. C'était à Saint-Germain-des-prés, juste après la guerre. J'habitais un rez-de-chaussée entre *Les Deux Magots* et *Le Flore*. Tous les jeudis soir, je faisais table ouverte. Un soir, j'ai reçu Teilhard avec deux grands philosophes chrétiens : l'orthodoxe Nicolas Berdiaev et le catholique Gabriel Marcel. Ce fut un total fiasco ! Teilhard est décédé quelques semaines plus tard à New York le jour de Pâques, comme il le souhaitait.

Pierre Teilhard de Chardin était passionné depuis l'enfance par la matière, et il ne la voyait pas, à l'inverse de nombreux chrétiens, comme ennemie du spirituel. Il est devenu un grand savant, spécialiste des fossiles et de l'histoire de la Terre, et il a également consacré sa vie à Dieu. Ses thèses audacieuses, qui tentent de réconcilier la vision évolutionniste avec la foi chrétienne, ont été très mal reçues par l'Église catholique qui l'accusait volontiers de panthéisme. Pourtant, il a toujours été soutenu par des grands théologiens comme le père de Lubac. Pour Teilhard, l'évolution a un sens et s'achève dans ce qu'il appelle le point Oméga : le Christ. Sa vision mystique est empreinte d'un lyrisme poétique qui agace certains, mais auquel j'ai personnellement toujours été sensible. Je crois que les choses ultimes ne peuvent être dites que poétiquement.

16

Jésus, le sauveur de l'humanité

Sachons lire le récit de la Genèse comme un mythe. Le mythe porte autre chose que son dit. Il y a ce qu'il insinue. Il faut ainsi lire ces premiers chapitres de la Genèse de manière ontologique : ils disent quelque chose de fondamental sur l'homme mais n'ont aucun caractère historique.

Je crois que le message contenu par ce récit mythique, c'est de montrer que l'être humain – tout être humain et pas seulement les premiers hommes – a tendance à refuser de dépendre d'une autorité divine. Il veut être son propre maître.

La Bible nous révèle à travers le langage du mythe une réalité profonde : il y a eu des ruptures répétées entre l'homme et Dieu. En voulant s'autosuffire, l'homme se dérobe au Père et devient l'otage de lui-même. Il est libre de toute dépendance à l'égard du Père, mais devient par là même captif de lui-même. Il est prisonnier de son égoïsme, de ses passions, de ses pulsions. En voulant ne plus être le serviteur de l'Éternel, l'homme est devenu esclave de lui-même.

En s'incarnant, Jésus offre la rançon que l'homme réclame pour se libérer de lui-même. Jésus dit en effet, parlant de lui-même : « Le Fils de l'Homme n'est pas venu pour être servi, mais pour servir et donner sa vie en rançon pour la multitude. » Certaines bibles traduisent par « une » multitude. Cette traduction est non seulement erronée au regard de l'exégèse littérale, mais c'est une déviation théologique : Jésus n'est pas venu apporter le salut à une multitude, c'est-à-dire un peuple particulier, mais à LA multitude, c'est-à-dire l'humanité entière.

J'ai médité toute ma vie sur ce mot étrange de rançon. Qui est le rançonneur, celui qui réclame la rançon ?

La tradition a donné deux grandes interprétations théologiques de cette phrase mystérieuse du Christ, mais je les trouve toutes les deux très insatisfaisantes.

On a longtemps affirmé que l'homme pécheur était captif du diable. Dans mon enfance, on disait encore : si tu fais telle grosse bêtise, tu appartiendras au diable et tu iras en enfer. Mais comment imaginer que le Verbe de Dieu puisse se donner au diable ? Comment penser que l'Amour puisse s'offrir au Mal ? Cela n'a aucun sens.

Un autre courant théologique a affirmé que le rançonneur était Dieu lui-même. Offensé par le péché de l'homme, seule une satisfaction infinie pouvait être à la hauteur du péché commis, et donc seul Dieu Lui-même pouvait offrir cette réparation en s'incarnant. Cette explication me scandalise tout autant : elle a produit le dolorisme en insistant sur les souffrances expiatoires du Christ. Plus Jésus souffrait, plus il réparait l'offense de l'homme et contribuait à son rachat. C'est épouvantable.

C'est en vivant longtemps auprès des drogués qu'une autre explication m'est venu. Le drogué est en effet à la fois son propre bourreau et la victime. Il est le rançonneur et l'otage. Partant de cette observation, je me suis dit qu'il en allait de même de tout être humain. Étant débranché de notre véritable source divine, nous sommes devenus bourreau de nous-même. Nous sommes esclaves de nos désirs désordonnés, de notre égoïsme.

En se faisant homme, le Christ est venu nous libérer de nous-même. Il nous offre la possibilité de nous reconnecter avec la source divine. La rançon qui nous libère, c'est à chacun d'entre nous qu'il la donne. La foi chrétienne, c'est savoir que Jésus nous a redonné la possibilité d'aimer en vérité. D'oser dire *Notre Père*.

Lorsque j'ai fait part de cette pensée sur le péché dit originel et sur la rançon au cardinal de Lubac peu avant sa mort, il m'a fortement encouragé en ce sens, me disant que cette manière d'expliquer la parole du Christ lui semblait tout à fait juste et éclairante.

Je ne prétends pas être un grand théologien, mais peut-être cette méditation éclairera-t-elle les croyants… qui s'interrogent sur cette parole énigmatique de Jésus, et plus largement sur le mystère du salut.

17

Absence et présence de Jésus

Je me suis longtemps demandé : « Pourquoi Jésus n'est-il pas resté parmi nous ? Pourquoi ne continue-t-il pas de faire des miracles, de nous enseigner ? » A notre époque médiatique, quel fabuleux succès il aurait ! Bien plus que n'importe quel pape, même le plus saint et le plus charismatique ! Mais justement, le risque d'idolâtrie, déjà fort avec un pape comme Jean-Paul II, aurait été trop grand. Nous ne serions pas en lien intérieur et intime avec le Christ : nous le vénérerions comme une idole extérieure. Nous voudrions tous le voir, le toucher, être guéri par lui... sans nécessairement écouter et méditer sa parole. Ou bien, à l'inverse, il nous impressionnerait trop et nous le craindrions. Pour rentrer dans une relation intime, intérieure, aimante avec Jésus – et, à travers lui, avec Dieu –, il faut fermer les yeux du corps et ouvrir ceux du cœur.

Voilà sans doute pourquoi le Christ ressuscité n'est pas resté sur terre de manière visible. Et voilà pourquoi, deux mille ans plus tard, Jésus ne s'impose pas à nous merveille visible et rayonnante. Il est comme dans la brume du matin de Pâques face à Marie de Magdala. Il est comme sur le chemin d'Emmaüs. Ses plus proches disciples et amis ne le reconnaissent pas tant ils sont absorbés par leurs soucis et leur tristesse. Puis à un moment il prononce une parole – « Marie » –, il fait un geste – rompre le pain –, et nos yeux le reconnaissent.

Il s'offre à nous, mais on ne peut le rencontrer que par l'écoute du cœur, l'intériorité, la prière silencieuse. Il continue aussi de parler et d'agir en chaque chrétien qui tente de marcher sur ses pas.

Chaque fois que je rencontre un homme ou une femme atrocement blessés par la vie, j'entends

Jésus les appeler par leur prénom et j'essaie de leur dire par ma voix, mon regard, mes mains, ce que Jésus dit avec tant d'amour : « Paul », « Jacqueline », « François », « Nathalie ».

Le christianisme, c'est une rencontre de personne à personne. C'est l'Évangile qui continue. Ce n'est pas autre chose.

18

L'Eucharistie, cœur des communautés chrétiennes

Jésus a trouvé une manière extraordinaire de rester présent parmi nous de manière caché : par la consécration du pain et du vin qui deviennent pour le croyant présence de son corps et de son sang.

De tous les sacrements, l'Eucharistie est le sacrement par excellence. C'est à la fois le testament de Jésus et l'actualisation de sa présence parmi nous. C'est celui qui me parle le plus, qui me touche aussi le plus de manière sensible.

L'Eucharistie, c'est vraiment le sacrement de la foi. Hors de la foi, ce n'est qu'un bout de pain insignifiant. Avec la foi, c'est capital. Il y a chez les chrétiens plusieurs manières de concevoir l'Eucharistie. Pour les catholiques, il s'agit du Christ réellement et mystérieusement présent. Théologiquement, on parlera, à la suite de saint Thomas d'Aquin, de « transsubstantiation ». C'est un mot un peu barbare qui signifie que la substance du pain est transformée (par les paroles du prêtre) en la substance de Jésus.

A l'autre extrémité, la plupart des protestants considèrent l'Eucharistie comme un symbole : le pain consacré n'est pas le corps du Christ, mais le symbole de sa présence parmi nous.

Personnellement, et comme un certain nombre de catholiques ou de protestants, je me situe dans une voie médiane. Je ne me préoccupe pas de la « transsubstantiation », mais uniquement de la PRÉSENCE. Je crois, sans savoir comment, sans chercher à me l'expliquer par la raison, que le Christ est mystérieusement présent dans l'hostie consacrée. Peu importe de quelle manière.

L'Eucharistie apporte parfois ainsi pour les croyants une présence sensible de Jésus. J'ai souvent ressenti cette immense tendresse, en priant des heures devant le saint sacrement exposé dans une église. Beaucoup de religieux et de religieuses vivent très fortement de cette tendresse. Je me souviens d'avoir visité le bidonville de Tu Duc en 1975 à Saigon. Dans des taudis vivaient là des familles et quelques religieuses. Une mère de famille a interpellé devant moi l'une de ces religieuses : « Comment es-tu toujours souriante, sans mari, sans enfants ? » Et la religieuse lui a répondu spontanément : « C'est que je sais que je suis aimée de Celui que j'aime. » Cet amour, cette tendresse de Jésus, est particulièrement perceptible pour les croyants dans l'Eucharistie.

L'Église n'a peut-être de sens que parce qu'elle maintient la présence eucharistique. C'est sa mission fondamentale. Des petites communautés chrétiennes isolées et cachées ont tenu pendant des siècles dans certains pays d'Asie grâce à la présence eucharistique.

19

Revenir au christianisme des premiers siècles

A travers l'histoire, l'Église a souvent montré un visage odieux : celui de la confusion des pouvoirs temporels et spirituels. Les papes sont devenus des rois, parfois plus puissants que les souverains des grands pays d'Europe, et les évêques des princes. Cette confusion s'est opérée au IVᵉ siècle sous l'égide de l'empereur romain Constantin. En faisant du christianisme – jusqu'alors persécuté – la religion officielle de l'Empire romain, il lui a rendu un bien mauvais service.

Jésus a insisté sur la nécessaire séparation des pouvoirs « Rendez à césar ce qui est à César et à Dieu ce qui est à Dieu » – , et il a refusé d'endosser les habits du chef politique que ses disciples attendaient. Les premiers chrétiens sont restés fidèles à cette règle de séparation du politique et du religieux que l'on appellera bien plus tard la laïcité. Les choses ont donc basculé avec Constantin, et l'Église est devenue une puissance politique voulant régenter la société. C'est ce qu'on a appelé « la chrétienté ».

Depuis les Lumières et les révolutions des XVIIIe et XIXe siècles, l'Église a perdu sa puissance et son influence temporelle. Le concile Vatican II (1962-1965) a non seulement pris acte de cette évolution mais l'a saluée comme la possibilité pour les catholiques de revenir aux sources évangéliques. J'ai toujours en mémoire cette parole si juste du père Congar au moment de l'ouverture du concile : « Vatican II va inaugurer la fin de l'ère constantinienne. »

Aujourd'hui, ce retour aux sources n'est pas encore achevé. La papauté reste trop puissante et reflète encore le visage du pape/empereur. Le pape, par exemple, est élu à vie comme l'était l'empereur. Il ne s'agit pas de supprimer la papauté mais de revenir à une fonction plus modeste.

Il faut libérer l'Église de la tutelle romaine sur toutes les Églises locales, de son centralisme politique et juridique. C'est une des conditions pour que l'Église redevienne pleinement évangélique et pour la réconciliation de tous les chrétiens dans l'unité.

20

Les Évangiles

Il faut rappeler que les Évangiles, qui racontent les faits, les gestes et les paroles de Jésus, ne sont pas écrits par des observateurs neutres. Ce ne sont pas des récits journalistiques, mais des récits écrits par des croyants qui ont vécu, médité, digéré ces actes et ces paroles avant de les mettre par écrit.

Ils sont donc le reflet de la foi de ces premières communautés chrétiennes, et pas toujours nécessairement conformes à la vérité historique. Ce qui explique d'ailleurs que certains récits se contredisent entre eux, comme la rencontre et l'appel des premiers disciples. Cela doit nous inciter à ne pas prendre ces textes au pied de la lettre dans une lecture littérale.

J'ai une préférence pour l'Évangile de Jean. Dès les premiers mots – au commencement était le Verbe –, il ouvre le chemin dans lequel ma vie spirituelle s'est développée depuis trois quarts de siècle : le mystère du Verbe incarné. Ce qui était nécessaire pour la Rédemption ce n'était pas la souffrance de Jésus, mais le seul fait que le Verbe se soit incarné. La flagellation, la mise à mort ne viennent pas de la volonté de Dieu, mais sont simplement la conséquence de la décision divine de l'Incarnation. Le Verbe devenu homme assume toute la condition humaine.

21

La Sainte Trinité

Le mystère du Verbe incarné constitue le cœur de la Révélation chrétienne. Il repose sur un autre mystère : celui de Dieu UN en trois personnes.

Il y a un fil conducteur de ma vie spirituelle qui m'a fait progressivement découvrir ce mystère de Dieu UN en trois personnes. Novice dans l'ordre de Saint-François, j'ai découvert cette parole de Dieu qui se révèle à Moïse à travers le buisson ardent : « Tu diras que JE SUIS m'envoie. » Après des rêveries panthéistes qui faisaient disparaître la personne de Dieu, j'ai eu une véritable révélation en découvrant cette parole : « JE SUIS. » Je me suis senti appelé à une union avec JE SUIS.

Dès lors je n'ai fait qu'adorer : « Ô Toi qui es, oui sois. »

J'ai tout de suite associé JE SUIS à l'amour : JE SUIS est l'aimable. La nature de l'amour c'est d'être diffusif de soi : par analogie c'est la raison pour laquelle on appelle Dieu « père », comme le révélera Jésus. Dieu est père car Son être est amour, et l'amour se diffuse spontanément.

J'ai ainsi eu la coutume de vivre avec le mystère de la Trinité : le Père se donnant au Verbe, c'est-à-dire la parole de l'Éternel qui dit « JE SUIS », et le Verbe se donnant au Père. L'Esprit procède du Père et du Verbe s'aimant. Même si c'est incompréhensible pour l'intelligence humaine, le mystère de Dieu UN et TROIS personnes ne me choque pas, car j'en saisis par le cœur la raison. Si Dieu est Amour, Il ne peut qu'être fécond, et cette fécondité ne peut pas ne pas s'exprimer déjà dans le mystère de Son être.

22

Liberté et hyper-liberté

À ma connaissance, le christianisme, à la suite du judaïsme, est une des religions qui a le plus insisté sur la liberté de l'homme. Cette liberté s'exprime d'abord face à son Créateur : l'homme reste toujours libre de croire ou de ne pas croire, de suivre les commandements de Dieu ou de ne pas les suivre. Cette liberté de conscience est fondamentale. C'est la condition même de l'amour. Car si Dieu nous forçait à l'aimer, quelle valeur aurait cet amour ?

Mais il y a deux manières de forcer quelqu'un à aimer : une manière violente, une sorte de manipulation affective perverse qui rend l'autre totalement dépendant de soi, par exemple. Cela existe hélas fréquemment dans les relations humaines, entre parents et enfants, ou entre époux. Il y a aussi une manière plus respectueuse de l'autre : se révéler à lui tellement bon qu'il ne peut pas faire autrement que de nous aimer. Si Dieu se révélait à nous totalement, si nous pouvions Le connaître en pleine lumière, alors on ne pourrait que L'aimer. C'est la raison pour laquelle Il a voulu nous créer en se voilant à nous. Nous ne voyons pas Dieu. Nous ne pouvons Le connaître que de manière indirecte. C'est cette part importante d'obscurité qui nécessite la foi. Toute la grandeur de l'homme c'est de pouvoir aimer Dieu dans la foi, sans Le toucher, sans Le voir, sans Le connaître directement. Alors sa liberté est totale.

Cette réflexion théologique classique sur la liberté humaine m'a conduit à m'interroger, dans le cadre du mystère trinitaire, sur la liberté des personnes divines. Il est impensable que le Verbe, par exemple, puisse être en désaccord avec le Père. Or le Verbe est nécessairement libre, et il est totalement dans la Lumière du Père. Quand j'arriverai au ciel, une des premières questions que je poserai à Dieu sera : « Comment faites-vous, les trois personnes divines, pour ne jamais vous disputer ? »

Le mystère de la Trinité montre donc qu'il peut y avoir une liberté – que j'appellerai hyper-liberté –, qui est une vraie liberté mais qui nous met dans l'impossibilité de se disputer, d'avoir des vues divergentes. Or je ne peux me retenir d'interroger : si une telle « hyper-liberté » existe en Dieu, Celui-ci ne l'a pas donnée à l'homme et ne l'a pas créée en pleine Lumière… ce qui nous aurait épargné tout ce lot millénaire de souffrances absurdes. Pourquoi seulement cette demi-lumière ?

23

Le péché

Une question théologique capitale doit être reprise par l'Église : celle du péché. Le péché ne doit pas être nié. C'est ce qui aliène la liberté humaine et coupe l'homme du plus profond de lui-même, de la vérité de la relation à l'autre et à Dieu. Mais on a beaucoup trop insisté sur le péché comme acte. « J'ai commis tel péché », a-t-on l'habitude de dire à confesse en renvoyant à un acte précis. Or, ce qui est beaucoup plus important à mes yeux, ce n'est pas l'acte mais l'*habitus*, c'est-à-dire la répétition de l'acte.

L'acte isolé – le crime passionnel, l'adultère d'un soir, etc. – n'est pas de même nature que la répétition d'un acte que l'on sait négatif pour nous-même ou pour les autres. On a franchi une limite et on s'y habitue. Cette situation est beaucoup plus grave et engage bien davantage notre liberté et notre responsabilité. Un homme qui cède à une pulsion pédophile en caressant un jour un enfant, qui le regrette amèrement et ne recommence plus, n'a rien à voir – même si cet acte est d'une extrême gravité – avec un homme qui commet une fois cette transgression, puis qui y revient et banalise son action par toutes sortes d'alibis pour la rendre supportable à ses yeux. Ce qu'on appelle en théologie l'*habitus*, c'est-à-dire « le pli » du péché, est infiniment plus grave que l'acte.

C'est important à rappeler pour déculpabiliser ceux qui commettent une transgression sous le coup d'une douleur, d'une erreur de jugement ou d'une pulsion, mais qui s'appuient ensuite sur leur liberté afin de tout mettre en œuvre pour ne pas recommencer. Mais aussi pour montrer à ceux qui « s'installent » dans la répétition d'un acte destructeur la gravité de cette habitude qui engage leur responsabilité morale.

Au sens strict on pourra alors parler de « vice ». De même que la vertu naît de la répétition d'un acte bon (on est vertueux à force de poser des actes positifs), le vice naît de la répétition d'un acte mauvais. Le vrai péché, c'est le vice, c'est-à-dire l'installation dans un comportement destructeur pour nous-même ou pour les autres.

Cela ne signifie pas pour autant que Dieu ne pardonne pas aux pécheurs, même les plus vicieux, car Lui seul peut sonder les reins et les cœurs et savoir jusqu'à quel point la liberté de l'homme est altérée ou engagée. Certains en effet n'ont pas la volonté suffisante pour éviter de commettre le mal qu'ils voudraient éviter. D'autres reproduisent mécaniquement un mal qu'ils ont eux-mêmes subi dans l'enfance. C'est la raison pour laquelle Jésus nous dit, bien avant Freud, « ne jugez pas ». Ce n'est pas une raison pour ne pas lutter de toutes nos forces pour éviter de commettre à nouveau un acte dont nous savons qu'il nous coupe de ce qu'il y a de beau et de noble en nous, qui nous coupe des autres, et, en définitive, qui nous coupe de l'Amour.

24

L'enfer existe-t-il ?

Contrairement à ce que croient beaucoup de chrétiens, aucun concile n'a jamais affirmé l'existence de l'enfer. La prédication chrétienne a souvent utilisé la peur de l'enfer pour convertir les âmes, ce qui me paraît d'ailleurs une très mauvaise méthode, mais rien ne permet d'affirmer que l'enfer existe, ou bien, ce qui revient au même, qu'il y ait un seul damné dedans.

Plus je médite sur le mystère de Dieu Amour, plus je suis persuadé qu'il est impossible qu'une personne – ange ou être humain – plongé dans la pleine vision de Dieu puisse librement Le rejeter.

Théoriquement seul l'idolâtre de soi-même peut refuser l'amour de Dieu pour ne dépendre de personne. L'enfer ça pourrait être cela. Mais pratiquement, je n'arrive pas à concevoir qu'un être qui se trouve en pleine possession de sa liberté et en pleine lumière devant le Bien et le Mal choisisse le Mal. Je crois que seul un conditionnement particulier, une connexion subie avec le mal dans le passé, peut expliquer les pires comportements. Une fois libéré de ce lien, une fois la liberté dégagée et la conscience éclairée, l'attraction du Bien serait plus forte que tout. Face à la plénitude de la Lumière et de l'Amour, comment l'adoration de soi pourrait-elle dominer ?

25

Révélation historique et Révélation invisible

La formule « hors de l'Église point de salut », qui avait encore cours dans mon enfance, m'a toujours profondément choqué. Comment serait-il possible que Dieu Amour ne se révèle et ne sauve qu'une toute petite portion de l'humanité, celle des baptisés ? C'est tellement absurde !

Pour un chrétien, il y a donc nécessairement deux Révélations. Une Révélation visible, explicite, celle de la Bible et de Jésus-Christ. Et une autre Révélation, invisible et plus mystérieuse, qui n'est pas écrite, qui n'a pas de prophète, mais qui touche le cœur de tous les hommes pour les inspirer à faire des actes d'amour à l'égard de leur prochain, à choisir le Bien plutôt que le Mal, le service des autres plutôt que l'adoration de soi. Cette révélation invisible – celle de l'Esprit saint ? – a inspiré les autres religions et le cœur des hommes sans religion. C'est par elle que tous les courants de pensée, religieux ou non, affirment : « Tu aimeras » et mettent la compassion au sommet des vertus.

La Révélation historique donne des responsabilités aux chrétiens, mais elle n'est que l'un des aspects d'une révélation mystérieuse, invisible, qui concerne tout homme. Je suis convaincu que chaque être humain est éclairé par l'Esprit saint. Depuis qu'il y a des êtres humains sur terre, la conscience de chacun d'entre eux a pu s'éveiller pour consentir au « Tu aimeras ».

26

Le fanatisme religieux

Lorsque s'est terminé le siècle passé, qui aurait pu craindre ou pressentir ce que maintenant notre monde connaît de violence, qui s'empare de courants importants dans chacune des familles religieuses de l'humanité ? Chaque bombe, de quelque couleur qu'elle soit, qui éclate et qui tue en proclamant « Dieu le veut », tout ce sang répandu au nom de la foi nous scandalise et nous bouleverse.

Les actes terroristes sont épouvantables et frappent tous les esprits, mais comment espérer en sortir autrement que par le pire si on ne regarde pas profondément la réalité ?

Je viens de relire une encyclopédie sur vingt siècles de christianisme, et j'ai été frappé de découvrir ce qu'ont vraiment été les croisades. Derrière le prétexte de vouloir libérer les Lieux saints et de permettre aux pèlerins de s'y rendre en sécurité, s'est mise en place une gigantesque entreprise de domination, de pillages, de massacres atroces. Cela a atteint non seulement les populations arabo-musulmanes, mais aussi les Grecs orthodoxes avec le sac épouvantable de Byzance. Il reste de cette période, qui s'est étendue sur environ deux siècles, des traces très profondes chez les musulmans et aussi chez les orthodoxes.

L'idée même de croisade, c'est-à-dire de verser du sang pour être propriétaire des lieux de la vie de Jésus, est déjà tout à fait révoltante. Mais utiliser ce prétexte pour tuer des populations civiles et dans le véritable but de dominer et de s'enrichir l'est encore plus.

C'est pourquoi je m'interroge sur la « croisade », ce sont ses propres mots, que George Bush est en train de mener au Moyen-Orient. Il y a eu tellement de mensonges derrière ses beaux discours sur la volonté d'apporter la liberté et la démocratie, tellement de sang versé chez les civils innocents, tellement de bas calculs politiques et économiques, qu'on ne peut s'empêcher de se dire que l'histoire, hélas, se répète.

Fallait-il répondre à la terrible provocation des terroristes d'Al Quaida par une nouvelle croisade ? Guérit-on le mal par le mal ? Je crains que tout cela n'entraîne le monde dans une nouvelle guerre entre la civilisation chrétienne et la civilisation musulmane – ce que souhaitait Ben Laden –, conflit que l'on aurait parfaitement pu éviter avec plus de sagesse et de retenue.

Épilogue

Lettre à Dieu

Père,

Je vous aime plus que tout.

Avant tout parce que vous êtes celui qui peut dire JE SUIS. Et d'avoir rencontré cela dans mes seize ou dix-sept ans fait que, à quatre-vingt-treize ans, j'en vis.

Je vous aime plus que tout.

Parce que :

– à l'homme qui, tout au long de l'évolution, ne cesse de se vouloir suffisant, vous donnez Jésus, le Verbe, pour prouver que l'homme est non suffisant ;

– alors qu'on s'étouffe de vouloir des chiffres, vous donnez l'indicible, qui se fait plus fort que le doute, en l'Hostie de l'Eucharistie ;

– à l'atmosphère suffocante, vous substituez le souffle, *spiritus*, de l'Esprit saint qui naît de l'union du Père et du Verbe s'aimant, et en qui nous baignons.

Oui, vous êtes mon amour.

Je ne supporte de vivre si longtemps que par cette certitude en moi : mourir est, qu'on le croie ou non, Rencontre.

Je vous aime plus que tout.

Oui, mais… Pour être croyant crédible, il faut que tous autour de moi sachent que je n'accepte pas, que je ne pourrai jamais accepter, la permanence du Mal.

ÊTRE, Vous êtes maître du maintien ou de la cessation de l'existence de tout ce qui est.

Alors que vous avez ce pouvoir de le faire cesser, comment comprendre que subsiste le Mal ?

La prière de Jésus ne culmine-t-elle pas dans : « Délivrez-nous du Mal » ?

Merci, Père de m'aider à refuser, ce qui serait tricherie, de « croire » comme si j'étais indifférent à la perpétuation du Mal, et en ce monde, et dans l'au-delà du temps.

Croyant, aimant, je ne peux être que ce « croyant quand même », c'est-à-dire ne comprenant pas.

Trop de mes frères humains restent au bord de vous aimer, détournés par la nécessité de ce « quand même ». Pitié pour eux et pitié pour l'Univers.

Père, j'attends depuis si longtemps de vivre dans votre totale PRÉSENCE qui est, je n'en ai jamais douté, malgré tout, AMOUR.

4 Oct. 2005

Fête de Saint François d'Assise –

Deo Gratias !

Abbé Pierre +

Table

Des mêmes auteurs

Ouvrages de l'abbé Pierre

Juillet 1942-juin 1944. 23 mois de vie clandestine (Vercors, Paris, Madrid, Gibraltar, Alger), Conférence de l'Information, Paris, 1945.

Feuilles éparses, poèmes, Éditions d'Emmaüs, 1955.

L'abbé Pierre vous parle..., textes rassemblée par Mlle L-C Repland, Éditions du Centurion, 1955.

Le Défi de l'abbé Pierre et les chiffonniers d'Emmaüs, Mame, 1956.

Vers l'homme, entretiens et conférences, Cerf, 1956.

L'abbé Pierre parle aux Canadiens, Éditions de l'Homme, Montréal, 1959.

Le scandale de la faim interpelle l'Église, Apostolat des Éditions, 1968.

Emmaüs ou venger l'Homme, entretiens avec Bernard Chevalier, Éditions du Centurion, 1979.

Permis de vivre, pièce donnée au théâtre Eldorado du 12 au 23 décembre 1988.

Cent poèmes contre la misère, choisis par l'abbé Pierre, Le Cherche-Midi éditeur/Fondation de France, 1988.

Une terre et des hommes, éditoriaux de la revue *Faim et Soif* (1954-1989), présentés par Emmaüs International, Espace-Documents, Etouvans, 1989.

La Voix des hommes sans voix. Paroles de l'abbé Pierre, présentées par Michel Quoist, Éditions ouvrières, Paris, 1990.

Hiver 54, Éditions n° 1, 1990.

Miettes de vie, Éditions Le Livre ouvert, 1991.

Amour, toujours. Petit abécédaire incomplet et dans le désordre, entretiens avec Hélène Ambard, Seuil, 1992.

Dieu et les Hommes, Avec Bernard Kouchner, dialogues et propos recueillis par Michel-Antoine Burnier, Robert Laffont, 1993.

Testament..., Bayard, 1994.

Absolu. Avec Albert Jacquard, dialogue animé par Hélène Amblard, Seuil, 1994.

Dieu Merci, Bayard/Éditions du Centurion, 1995.

Le Bal des exclus, et autres drames sacrés, Fayard, 1996.

Mémoire d'un croyant, avec Frédéric Lenoir, Fayard, 1997.

Fraternité, avec Frédéric Lenoir, Fayard, 1999.

Paroles, Actes Sud, 1999.

C'est quoi la mort ?, Albin Michel, 1999.

En route vers l'absolu. Avec Théodore Monod, entretiens avec Michel Bony, Flammarion, 2000.

Confessions, Albin Michel, 2002.

Je voulais être marin, missionnaire ou brigand, carnets intimes inédits, Le Cherche-Midi, 2002.

Ouvrages de Frédéric Lenoir

Œuvres de fiction

La Promesse de l'ange, avec Violette Cabesos, roman, Albin-Michel, 2004. Prix des maisons de la presse 2004.

La Prophétie des deux Mondes, scénario d'une saga BD dessinée par Alexis Chabert.
Tome 1 : « L'Étoile d'Ishâ », Albin-Michel, 2003.
Tome 2 : « Le Pays sans retour », Albin-Michel, 2004.
Tome 3 : « Solâna », Albin-Michel, 2005.

Le Secret (conte), Albin-Michel, 2001. Le Livre de Poche, 2003.

Essais, documents, entretiens

L'Alliance oubliée, avec Annick de Souzenelle, Albin-Michel, 2005.

Code Da Vinci, l'enquête, avec Marie-France Etchegoin, Robert Laffont, 2004.

Les métamorphoses de Dieu, Plon, 2003. Hachette poche, 2005.
Prix européen des écrivains de langue française 2004.

Mal de Terre, avec Hubert Reeves, Seuil, 2003.

L'Épopée des Tibétains, avec Laurent Deshayes, Fayard, 2002.

Le Moine et le Lama. Entretiens avec Dom Robert le Gall et Lama Jigmé Rinpoché, Fayard, 2001. Le Livre de Poche, 2003.

Sommes-nous seuls dans l'univers ? Entretiens avec J. Heidmann, A. Vidal-Madjar, N. Prantzos et H. Reeves, Fayard, 2000. Le Livre de Poche, 2002.

La Rencontre du bouddhisme et de l'Occident, Fayard, 1999. Albin-Michel, « Spiritualités vivantes », 2001.

Le Bouddhisme en France, Fayard, 1999.

Entretiens sur la fin des temps, avec J.-C. Carrière, J. Delumeau, U. Eco et S. J. Gould, Fayard, 1998. Pocket, 1999.

Sectes, mensonges et idéaux, avec Nathalie Luca, Bayard, 1998.

Les Trois Sagesses, entretiens avec M.D. Philippe, Fayard, 1994.

Mère Teresa, avec Estelle Saint-Martin, Plon, 1993. Pocket, 1995.

Le Temps de la responsabilité. Postface de Paul Ricœur, Fayard, 1991.

Les Risques de la solidarité. Entretiens avec Bernard Holzer, Fayard, 1989.

Les Communautés nouvelles, Fayard, 1988.

Direction d'ouvrages encyclopédiques

La mort et l'immortalité, encyclopédie des croyances et des savoirs, avec Jean-Philippe de Tonnac, Bayard, 2004.

Le Livre des sagesses, avec Ysé Tardan-Masquelier, Bayard, 2002.

Encyclopédie des religions, avec Ysé Tardan-Masquelier, 2 volumes, Bayard, 1997 et 2000 (édition poche).

Cet ouvrage a été composé par
Nord Compo (Villeneuve-d'Ascq)
et imprimé par **Bussière**
à Saint-Amand-Montrond (Cher)

Achevé d'imprimer en octobre 2005.

N° d'édition : 13957. — N° d'impression : 053817/1.
Dépôt légal : octobre 2005.

Imprimé en France